Ian Beck

AR GOLL *ar y* TRAETH

Addasiad Helen Emanuel Davies

GOMER

I Lily

(Mae tedis yn byw bywyd mor dawel
a digyffro, on'd ydyn nhw?)

Argraffiad Cymraeg cyntaf: 2002
Ail argraffiad Cymraeg: 2004

Cyhoeddwyd gyntaf ym Mhrydain gan Scholastic Children's Books,
Commonwealth House, 19 New Oxford Street, Llundain WC1A 1NW

Teitl gwreiddiol: *Lost on the Beach*

ISBN 1 84323 112 3

Dymuna'r cyhoeddwyr gydnabod cymorth Adrannau Cyngor Llyfrau Cymru

Cyhoeddwyd gan Wasg Gomer, Llandysul, Ceredigion, Cymru SA44 4QL

Argraffwyd a rhwymwyd yn Singapore

Prynhawn poeth o haf oedd hi. Roedd Lili'n chwarae yn y tywod. Eistedd yn dawel ar y traeth roedd Tedi.

Gwnaeth Lili gastell tywod.
"Dw i'n hoffi'r castell, Lili," meddai Mam.
"Castell i Tedi yw e," atebodd Lili.

Taenodd Mam liain ar y tywod a gosod Tedi arno. "Dere," meddai hi wrth Lili, "beth am fynd i brynu hufen iâ? Gall Tedi aros fan hyn."

“Aros funud,” meddai Lili, a chlymodd hances am ben Tedi. “Wnei di ddim llosgi dy ben yn yr haul nawr,” meddai.

Eisteddodd Tedi'n dawel yn yr haul.
Yna'n sydyn symudodd y lliain a syrthiodd
Tedi – wps! – ar ei gefn.

Roedd ci bach yn gafael yn un cornel o'r lliain.

Dechreuodd y ci dynnu'r lliain . . .

. . . a llusgo Tedi – bwmp, bwmp, bwmp – dros y tywod.

Wrth y creigiau,
syrthiodd Tedi oddi
ar y lliain. Roedd
e'n bell, bell i
ffwrdd o'i gastell
tywod nawr.

Crwydrodd o gwmpas y creigiau am dipyn. Gwelodd byllau o ddŵr â phob math o greaduriaid ynddyn nhw.

Cafodd Tedi hwyl yn sblasio'i bawennau yn y dŵr. Ond yna – aw! – pinsiodd cranc ei bawen.

Eisteddodd Tedi ar y tywod i gael hoe. Ond yn sydyn roedd ei ben-ôl yn teimlo'n wlyb! O na, roedd y llanw'n dod i mewn!

Gallai Tedi weld ei gastell tywod ym mhen draw'r traeth. Ond sut roedd cyrraedd yn ôl? Allai Tedi ddim croesi'r dŵr!

Gwelodd Tedi wylanod yn hedfan uwchben.
Tynnodd yr hances oddi ar ei ben a'i chwifio.
"Iŵ-hŵ!" galwodd.

Hedfanodd gwylan garedig i lawr a'i godi
i fyny.

WHÎÎÎ! Cododd Tedi'n uchel i'r awyr.

Whwwsh! Roedd e'n hedfan trwy'r cymylau gwyn.

Yna – wps! – collodd Tedi ei afael. Roedd e'n syrthio i lawr, i lawr . . .

Cydiodd Tedi
yng nghorneli'r
hances a gwneud
parasiwt!

Daeth i lawr yn
araf a glanio ar
ddarn o bren ar
wyneb y môr.
Dyna lwc!

Eisteddodd Tedi ar y pren ar wyneb y dŵr am dipyn. Ond yna dechreuodd deimlo'n oer. Roedd e'n bell o'r traeth hefyd.

"RHAID i mi fynd yn ôl at Lili," meddai Tedi. Gallai weld y faner fach goch ar ei gastell tywod yn y pellter, a dechreuodd rwyfo tuag ati.

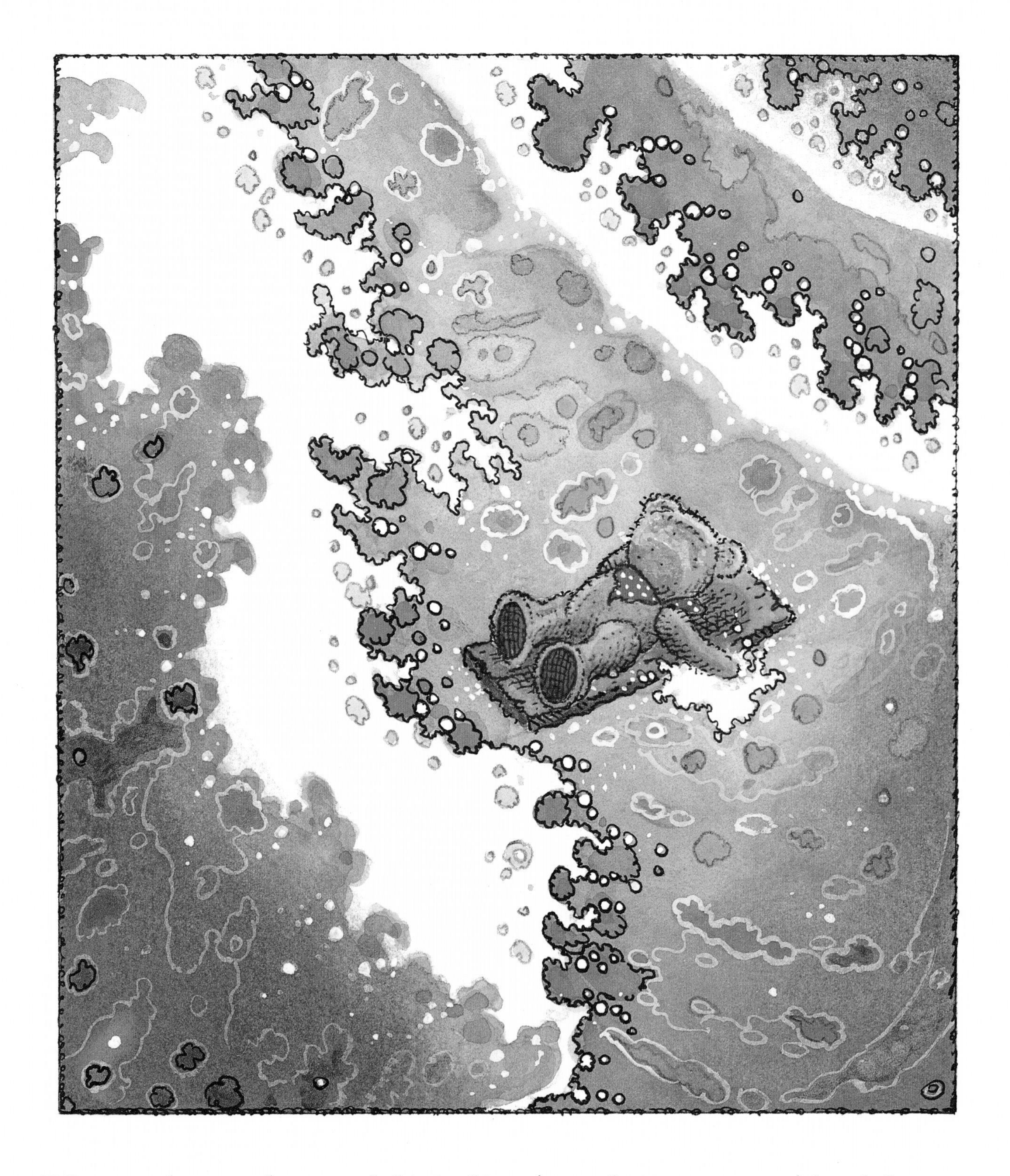

Yn sydyn, clywodd Tedi sŵn rhuo y tu ôl iddo.
Roedd ton ANFERTH yn dod yn nes ac yn nes!

Dyma'r don yn CODI Tedi yn uwch ac yn uwch allan o'r dŵr . . .

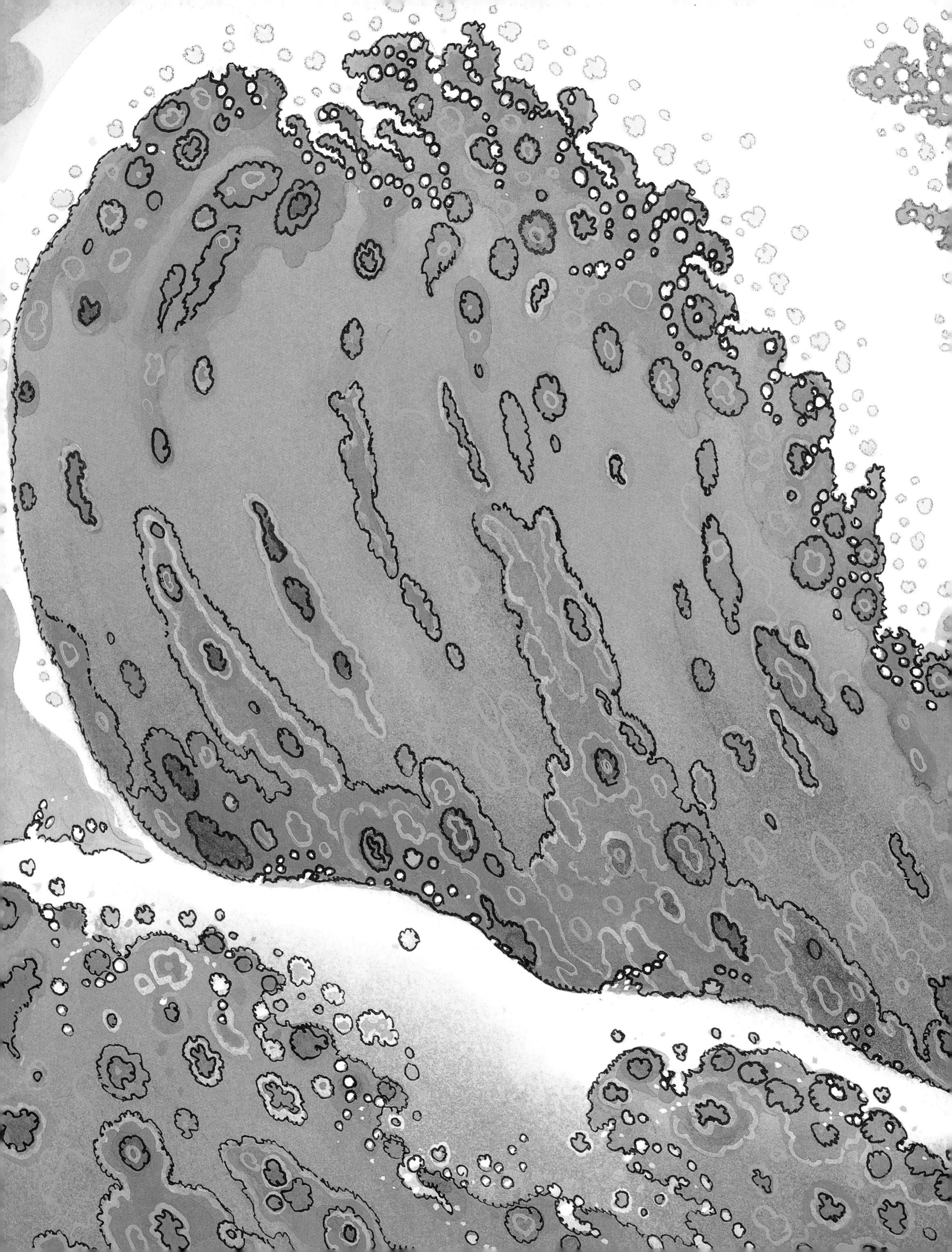

Whîîî! Roedd
Tedi'n syrffio!
Am hwyl!

Torrodd y don ar y traeth a thaflu Tedi – plwmp! – ar y tywod. Hwrê! Roedd e wedi cyrraedd y lan!

Croesodd Tedi'r traeth, gam wrth gam, yn araf araf am fod ei goesau'n suddo yn y tywod meddal.

O'r diwedd roedd Tedi'n ôl wrth ei gastell tywod. Clymodd ei hances am ei ben ac eistedd i lawr yn dawel.

Pan ddaeth Lili'n ôl, rhoddodd gusan fawr i Tedi. "O Tedi," meddai, "dwyt ti ddim wedi symud trwy'r prynhawn. Ond pam rwyt ti'n wlyb?"

Nos da, Lili. Sws, sws. Nos da, Tedi. Cysga'n glyd. Dim ond Tedi a ni sy'n gwybod beth yn union ddigwyddodd heddiw, ontefe?